RABALENGUERO

Dirección: **Mauricio Volpi**

Edición: **Andrea Fuentes Silva**

Diseño gráfico: **Alejandro Magallanes / La máquina del tiempo**

Primera edición Nostra Ediciones, 2005

D.R. © Nostra Ediciones, S. A. de C.V., 2004
        Ibsen 43-601, Col. Polanco Chapultepec,
        11560, México, D. F.

ISBN: 968-5447-34-9 Nostra Ediciones

Impreso en Hong Kong

TRABALENGÜERO

VALENTÍN RINCÓN

GILDA RINCÓN

CUCA SERRATOS

COMPOSICIONES TIPOGRÁFICAS DE ALEJANDRO MAGALLANES

INTRODUCCIÓN PARA LOS MÁS CHICOS

Los trabalenguas que pusimos en este libro son para que se te trabe la lengua y te diviertas destrabándola. ¿Me entiendes? No son para que sufras sino para que te diviertas. O a lo mejor sufres un poco... ya veremos. Además, puedes retar a tus amigos a que digan los trabalenguas: verás como a algunos, al tratar de decirlos y equivocarse, les van a salir palabras chistosas de la boca —como al Negrito Sandía cuando le salía una culebrita loca—, y todos se van a reír.

INTRODUCCIÓN PARA LOS MÁS GRANDES

Podemos inferir que desde tiempos inmemoriales a los seres humanos les ha dado por jugar con las palabras, y así han inventado la rima, la métrica y, por ende, la poesía. También así, jugando, jugando, han inventado la aliteración, ese juego de lograr frases sonoras por medio de la repetición de sonidos: [...] "el sabido sabor de la saliva" [...].[1] En la poesía japonesa, por ejemplo, se observa que la aliteración guía más al poeta que la rima y para muestra de lo anterior están los haikus.

Los grandes creadores de la literatura han desarrollado hasta cumbres luminosas las formas poéticas. Al poeta le da por bordar con el lenguaje; por ello ha creado los sonetos, las décimas, las liras, los ovillejos, la rima consonante y la asonante, entre otras formas poéticas.

Pero a los niños, a los adultos y a todo mundo, aun sin ser "grandes creadores de la literatura", les da por inventar trabalenguas, y así surge una veta más de la creatividad popular.

Este "invento" es en cierta forma la culminación de ese jugar y hacer castillos de naipes con el idioma.

El trabalenguas, al igual que la adivinanza o el acertijo, constituye un reto. En el caso del trabalenguas, un reto de quien lo plantea a quien ha de intentar decirlo sin equivocarse, es decir, sin que se le trabe la lengua. Si su lengua traiciona a quien intenta decirlo y se equivoca, surge el regocijo y la risa de los presentes.

Los trabalenguas son también un ejercicio para agilizar la dicción y el practicarlos puede resultar beneficioso para profesionales del habla, como por ejemplo, locutores, profesores y narradores. Son obstáculos que voluntariamente nos ponemos para adiestrar nuestra lengua, como lo hizo hace muchos años Demóstenes.

Demóstenes fue un político y orador ateniense (384-322 a. C.); se cuenta que de joven tenía cierta dificultad física para hablar y que, para superarla, se iba a una playa desierta adonde se escuchara el rugir de las olas: entonces se llenaba la boca de piedritas, empezaba a pronunciar su discurso y, con el mar como auditorio, trataba de superar sus deficiencias, de vencer la dificultad que le causaban las piedras en la boca y de que su voz predominara sobre el sonido de las olas. Practicando de esta original manera llegó a ser el mejor y más famoso orador de Grecia.

He aquí este libro que recopila algunos trabalenguas populares en México y una colección de otros que hemos creado los autores. Nuestra intención principal es deleitarnos con las palabras y pasarla bien.

[1] Villaurrutia, Xavier, "Nocturno", en *Nostalgia de la muerte*, p. 50.

SI CON PALABRAS TE TRABAS Y TE DISPARATRABAS, PRÁCTICA CON TRABALENGUAS, PUES ¿PRACTICATRABALENGUANDO TE IRÁS DESTRABALENGUANDO.

LUENGAS
LENGUAS
HACEN FALTA
PARA NO

TRABALENGUARSE:

QUIEN NO TENGA
LENGUA LUENGA,
BIEN PODRÁ
DESESPERARSE.

TRABALENGUAS POPULARES ANÓNIMOS

Algunos de los trabalenguas que aquí presentamos son verdaderamente difíciles de pronunciar sin tropiezo; otros, no tanto. Algunos tienen ritmo y rima y algunos contienen frases que se repiten cambiando el orden, es decir, con hipérbaton, y muchos tienen la sonoridad de una cascada.

CON PALABRAS REALES

Aquí agrupamos los que se construyeron con palabras de uso común, con palabras que se pueden encontrar en los diccionarios, a diferencia de otros que incluyen palabras "inventadas".

**PEPE PECAS
PICA PAPAS
CON UN PICO,
CON UN PICO
PICA PAPAS
PEPE PECAS.**

Compré pocas copas, pocas copas compré
y como compré pocas copas, pocas copas pagué.

Toño Yáñez come ñame en las mañanas con el niño.

Pablito clavó un clavito, un clavito clavó Pablito.

O bien la versión cruel:
Pablito clavó un clavito en la calva de un calvito,
en la calva de un calvito, un clavito clavó Pablito.

EN TRES TRASTOS DE TRIGO TRES TIGRE TRAS TIGRE, TIGRES TAN

TRISTES TIGRES TRIGO TRAGABAN, TRISTES TRIGO TRAGABAN.

Chango chino chiflador

que chiflas a tu china changa:
ya no chifles a tu china changa,

chango chino chiflador.

ERRE CON ERRE CIGARRO,

ERRE CON ERRÉ BARRIL.

RÁPIDO RUEDAN LOS CARROS CARGADOS DE AZÚCAR DEL FERROCARRIL.

Pabla le dio con el palo a Pablo y Pablo le dio con la tabla a Pabla.
Pabla le dio con el palo a Pablo y Pablo le dio con la tabla a Pabla.
Pabla le dio con el palo a Pablo y Pablo le dio con la tabla a Pabla.
Pabla le dio con el palo a Pablo y Pablo le dio con la tabla a Pabla.
Pabla le dio con el palo a Pablo y Pablo le dio con la tabla a Pabla.
Pabla le dio con el palo a Pablo y Pablo le dio con la tabla a Pabla.
Pabla le dio con el palo a Pablo y Pablo le dio con la tabla a Pabla.
Pabla le dio con el palo a Pablo y Pablo le dio con la tabla a Pabla.
Pabla le dio con el palo a Pablo y Pablo le dio con la tabla a Pabla.
Pabla le dio con el palo a Pablo y Pablo le dio con la tabla a Pabla.
Pabla le dio con el palo a Pablo y Pablo le dio con la tabla a Pabla.
Pabla le dio con el palo a Pablo y Pablo le dio con la tabla a Pabla.
Pabla le dio con el palo a Pablo y Pablo le dio con la tabla a Pabla.
Pabla le dio con el palo a Pablo y Pablo le dio con la tabla a Pabla.
Pabla le dio con el palo a Pablo y Pablo le dio con la tabla a Pabla.
Pabla le dio con el palo a Pablo y Pablo le dio con la tabla a Pabla.
Pabla le dio con el palo a Pablo y Pablo le dio con la tabla a Pabla.

La pícara pájara pica la típica jícara;
la típica jícara, pica la pícara pájara.

Rosa Rosales

cortó una rosa.

¡Qué roja la rosa

de Rosa Rosales!

ROSA RIZO REZA EN RUSO, EN RUSO REZA ROSA RIZO.

Cuando cuentes cuentos, cuenta cuántos cuentos cuentas.

ME HAN DICHO QUE HAS DICHO UN DICHO,

UN DICHO QUE HE DICHO YO,

Y ESE DICHO QUE TE HAN DICHO QUE YO HE DICHO

NO LO HE DICHO.

MAS SI YO LO HUBIERA DICHO,

ESTARÍA MUY BIEN DICHO

POR HABERLO DICHO YO.

HE DICHO.

AMÍMIMAMÁMEMIMA.

MÍRAME SIN MIRAR, MYRIAM,

MÍRAME MIENTRAS ME MUEVO;

NO ME MIRES MYRIAM MÍA,

NO ME MIRES QUE ME MUERO.

Jaimejalalalajaula.

Cabral clavó un clavo. ¿Qué clavo clavó Cabral?

Un burro comía berros
y el perro se los robó,

el burro lanzó un rebuzno

y el perro al barro cayó.

ERES MUY INGENUO, EUGENIO.

Pepe puso un peso
en el piso del pozo.
En el piso del pozo
puso un peso Pepe.

Señor: Pedro Pero Pérez Crespo, ¿dónde mora?

porque en esta Villa tres Pedros Peros Pérez Crespo había.

Pedro Pero Pérez Crespo el de arriba,

Pedro Pero Pérez Crespo el de abajo

y Pedro Pero Pérez Crespo el de fuera de la Villa.

Yo no busco a Pedro Pero Pérez Crespo el de abajo,

yo no busco a Pedro Pero Pérez Crespo el de arriba,

ni a Pedro Pero Pérez Crespo el de fuera de la Villa,

sino a Pedro Pero Pérez Crespo Crespín

que tenía una yegua y un rocín,

crespa la cola, crespa la crin y crespo todo el potriquín.

SI ME GANARA

AL BILLAR MARY VILLA,

ME MARAVILLARÍA.

Qué col
colosal
colocó en
el local
de Raquel
el loco
aquel.

EL AMOR ES UNA LOCURA
QUE NI EL CURA LA CURA
Y SI EL CURA LA CURA
ES UNA LOCURA DE CURA.

¡Qué triste estás, Tristán, tras tan tétrica trama teatral!

Beto Brito vino nunca beber debe,
vida boba y breve vivirá si bebe.

Los cojines del obispo,
los cajones del alcalde,
¡qué cojines, qué cajones,
los cojines del obispo,
los cajones del alcalde!

PACO

guarda las pocas copas que, poco a poco, Pepe sacó.

NO HAY QUIEN ME AYUDE A VOCES A DECIR TRES VECES OCHO: OCHO, CORCHO, TRONCHO Y CAÑA, CAÑA, TRONCHO, CORCHO Y OCHO.

Juan Quinto, una vez, en Pinto
contó de cuentos un ciento;
y un chico dijo contento:
—¡Cuántos cuentos cuenta Quinto!

**Un podador podaba la parra
y otro podador que por allí pasaba le dijo:**

—Podador que podas la parra,
¿qué parra podas?

¿podas mi parra o tu parra podas?

—Ni podo tu parra, ni mi parra podo,
que podo la parra de mi tío Bartolo.

ABRÍ CAJONES Y COGÍ CORDONES, CORDONES COGÍ Y CAJONES ABRÍ.

Poquito a poquito Paquito empaca poquitas copitas en pocos paquetes.

De Guadalajara vengo,
jara traigo,
jara vendo,
a medio doy cada jara.
Qué jara tan cara traigo
de Guadalajara.

EL QUE POCA CAPA PARDA COMPRA, POCA CAPA PARDA PAG

, QUE POCA CAPA PARDA COMPRÉ, POCA CAPA PARDA PAGUÉ.

EL PERRO DE SAN ROQUE NO TIENE RABO PORQUE RAMÓN RAMÍREZ SE LO HA ROBADO.

MI CABALLO
PISA PAJA,
PAJA PISA
MI CABALLO.

Parra tenía una perra
y Guerra tenía una parra.
La perra de Parra rompió
la parra de Guerra.
Entonces Guerra cogió una porra
y aporreó a la perra de Parra.

Manuel Micho, por capricho,
mecha la carne de macho
y ayer decía un muchacho:
—mucho macho mecha Micho.

**PACO PECO,
CHICO RICO,
INSULTABA
COMO UN LOCO
A SU TÍO FEDERICO,
Y ESTE DIJO:
— ¡POCO A POCO,
PACO PECO,
POCO PICO!**

El que poca papa gasta poca papa paga.

de pura pita, de pita pura, de pita pura, de pura pita, un pañuelo de cuatro puntas. Un pañuelo de cuatro puntas,

**ENTRO CONTIGO A UN TREN CON TRIGO,
A UN TREN CON TRIGO ENTRO CONTIGO.**

Mariana Magaña
desenmarañará
mañana
la maraña que
enmarañara
Marina Mañara.

Si Sansón no sazona su salsa con sal, le sale sosa;
le sale sosa su salsa a **Sansón** si la sazona sin sal.

COMOPOCO

COCOCOMO,

POCOCOCO

COMPRO.

Panchaplancha concuatroplanchas. ¿Concuántasplanchas Panchaplancha?

Los cojines de la Reina,
los cajones del Sultán.
¡Qué cojines!
¡Qué cajones!
¿En qué cajonera van?

Me recetaron

Fenildimetilpirazolonmetilaminometanfulfonato

sódico.

El trapero

tapa con trapos

la tripa

del potro.

Pepepone
pocoapoco
enpilas,
laspapas
que pelan
PacayPola.

No me mires,
que miran que nos miramos
y verán en tus ojos
que nos amamos.
No nos miremos,
que cuando no nos miren
nos miraremos.

Yo vi en un huerto un cuervo cruento comerse el cuero del cuerpo del puerco muerto.

PARA REPETIR

Gavilán de la gavilanería,
gavilán de la gavilanería,
gavilán de la gavilanería,
gavilán de la gavilanería,
gavilán de la gavilanería,
gavilán de la gavilanería,
gavilán de la gavilanería,
gavilán de la gavilanería,
gavilán de la gavilanería...

Caramelo
camarón,
camarón
caramelo,
caramelo
camarón,
camarón
caramelo
caramelocamarón...

Boquerones de la boqueronería,

boquerones de la boqueronería,

boquerones de la boqueronería,

boquerones de la boqueronería,

boquerones de la boqueronería,

boquerones de la boqueronería,

boquerones de la boqueronería,

boquerones de la boqueronería,

boquerones de la boqueronería...

CON MÍMICA
Quienes lo tratan de repetir suelen equivocarse y decir algo especialmente chusco.

DE PECHO A CODO,

DE CODO A PECHO,

DE PECHO A CODO,

DE CODO A PECHO,

etc.

Vino que vino no vino vino, vino vinagre.

¡Esmerílemelo!

— ¿Usted no nada nada?
—Sí, pero no traje traje,
pero mire cómo como.

AGLUTINANTE, DE NUNCA ACABAR

LA PLAZA DE SAN JACINTO

Esta es la Plaza de San Jacinto,
en la plaza está la casa,
en la casa hay un cuarto,
en el cuarto hay un piso,
en el piso una mesa,
en la mesa una jaula,
y en la jaula hay un loro
que canta y dice:
loro en jaula,
jaula en mesa,
mesa en piso,
piso en cuarto,
cuarto en casa,
casa en plaza,
esta es la Plaza de San Jacinto,
en la plaza está la casa,

etcétera.

CON PALABRAS "DERIVADAS" INVENTADAS

Forman parte de los siguientes trabalenguas algunas palabras que no aparecen en ningún diccionario. Inventadas, pues. Estas palabras se derivan de otras que sí existen. Por ejemplo, la palabra guanábana sí existe y es aceptada, pero los verbos enguanabanar y desenguanabanar, no. De la palabra Constantinopla, nombre que tenía una ciudad, se deriva desconstantinopolizar, que es un verbo que no encontramos en ningún diccionario pero que muy bien se puede conjugar y así, formar un pintoresco trabalenguas.

El volcán de Parangaricutirimícuaro
se quiere desparangaricutirimicuarizar.
El que lo desparangaricutirimicuarice,
buen desparangaricutirimicuarizador será.

El Rey de Constantinopla
se quiere desconstantinopolizar,
quien lo desconstantinopolice
buen desconstantinopolizador será.

Perejil comí, perejil cené.
¿Cuándo me desemperejilaré?

Comí chirimoyas... me enchirimoyé,
para desenchirimoyarme,
¿cómo me desenchirimoyaré?

Comí guanábanas... me enguanabané,
para desenguanabanarme,
¿cómo me desenguanabanaré?

Mago, mi amiga gordita amigajonadita.

El rey de Castelgandolfo
está castelgandolfado.
El descastelgandolfador
que lo descastelgandolfe
buen descastelgandolfador será.

Cerezas comí,
cerezas cené,
de tanto comer cerezas...
me encerecé.

Este pocillo se me desnarizorejó.

CON PALABRAS LOCAS Y SONORAS, INVENTADAS

Estos ocurrentes trabalenguas incluyen palabras que no tienen un significado preciso pero que proporcionan sonoridad, a la vez que dificultad para ser pronunciados.

Ya en el siglo XIX existía una forma poética que incluía palabras carentes de sentido, con las que se pretendía conseguir resultados de eufonía, es decir, sonidos hermosos. Eusebio Blasco, dramaturgo y poeta español, escribió la letra de una zarzuela que se estrenó en 1866 llamada "El joven Telémaco". En esta obra se escucha un estribillo que dice:

Suripanta, la suripanta,
maca trunqui de somatén.
Sun fáribum, sun faribén,
maca trúpitem sangasinén.

A esta forma poética, en el siglo XX se le dio el nombre de Jitanjáfora, término propuesto por el humanista mexicano Alfonso Reyes (1889-1959). Reyes tomó el término jitanjáfora del siguiente poema de Mariano Brull:

LEYENDA

Filiflama alabe cundre
ala olalúnea alífera
alveolea jitanjáfora
liris salumba salífera.

Olivea oleo olorife
alalai cánfora sandra
milingítara girófora
ula ulalundre calandra.

Las jitanjáforas tienen cierta semejanza con los trabalenguas que en seguida se mencionan, algunos de los cuales son como cuentos.

LA MADRE GODADRE Y EL HIJO GODIJO

Había una madre godadre, pericotadre y tantarantadre

que tenía un hijo godijo, pericotijo y tantarantijo.

Un día la madre godadre, pericotadre y tantarantadre

le dijo a su hijo godijo, pericotijo y tantarantijo:

— Hijo godijo, pericotijo y tantarantijo,

tráeme la liebre godiebre, pericotiebre y tantarantiebre

del monte godonte, pericotonte y tantarantonte.

Así el hijo godijo, pericotijo y tantarantijo

fue al monte godonte, pericotonte y tantarantonte

a traer la liebre godiebre, pericotiebre y tantarantiebre.

Una pájara peca, meca, derga, andorga,
cucurruchaca, coja y sorda,
tiene unos pajaritos pecos, mecos, dergos,
andorgos, cucurruchacos, cojos y sordos,
si esta pájara no fuera peca, meca, andorga,
cucurruchaca, coja y sorda,
no tendría los pajaritos pecos, mecos, dergos,
andorgos, cucuruchacos, cojos y sordos.

LA GALLINA PINTA I

Tengo una gallina pinta
piririnca piriranca,
con sus pollitos pintos,
piririncos, pirirancos.
Si ella no fuera pinta,
piririnca, piriranca,
no criaría los pollitos pintos
piririncos, pirirancos.

LA GALLINA PINTA II

Tengo una gallina pinta, pipiripinta, gorda,
pipirigorda, pipiripintiva y sorda,
que tiene tres pollitos pintos, pipiripintos, gordos,
pipirigordos, pipiripintivos y sordos.
Si la gallina no fuera pinta, pipiripinta, gorda,
pipirigorda, pipiripintiva y sorda,
los pollitos no serían pintos, pipiripintos, gordos,
pipirigordos, pipiripintivos y sordos.

LA CABRITILLA HÉTICA

Una cabritilla hética,
palética, muda,
peluda
y pararampampluda,
parió siete cabritillas
héticas,
paléticas mudas, peludas
y pararampampludas.
Si no hubiera sido por la
cabritilla hética,
palética, muda, peluda
y pararampampluda,
no habrían nacido siete
cabritillas héticas,
paléticas, mudas, peludas
y pararampampludas.

LA GATA HÉTICA

Yo tenía una gata hética,
pelética, pelada, peluda,
con rabo lanudo,
que tenía tres gatos
héticos, peléticos,
pelados, peludos,
con rabos lanudos.
Si la gata no fuera hética,
pelética, pelada, peluda
con rabo lanudo,
los gatitos no serían
héticos, peléticos,
pelados, peludos,
con rabo lanudo.

LA BRUJA, PIRUJA

Esta era una bruja, piruja piruja,
de puento pito puja de pompa pirón,
que tenía dos hijas, pirijas pirijas,
de puento pito pijas de pompa pirón.
Una iba a la escuela, piruela piruela,
de puento pito puela de pompa pirón.
Otra iba a la música, pirúsica pirúsica
y este es el cuento que ya se acabó.

TRABALENGUAS DE AUTOR

La intención de los autores es que estos trabalenguas, algún día, quizá modificados, sean del dominio público.

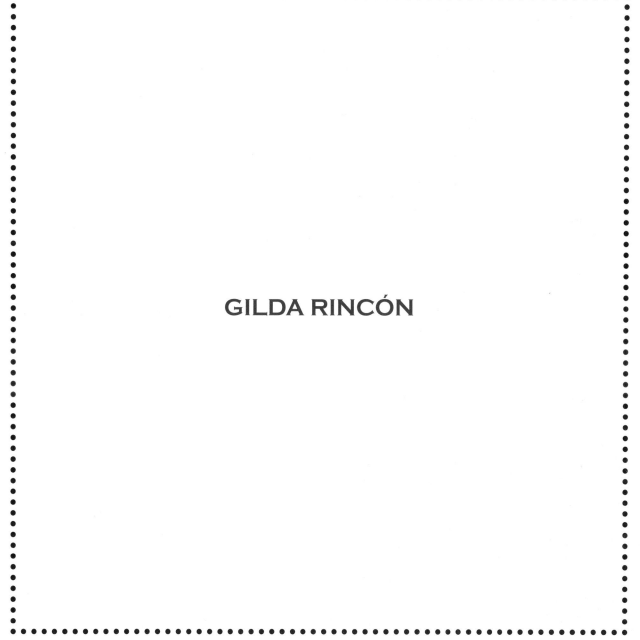

GILDA RINCÓN

MONSTRUO QUE MUESTRA MUECA MACABRA.

Va un chico en cuaco a Chiconcuac.

El soberbio sorbete cobró un sabor salobre.

UN PLATÓN DE TRIPLE PELTRE.

Terco va

el tuerto

al teatro.

ENALBURQUERQUE
ABUNDANLOSCERDOS
QUESECRÍAN
CONCARDOSCRUDOS.

Cuca saca de su saco caqui un queso casi seco.

El loro de Lira delira por la lorita de Loreto.

Tiró la cajeta
de cabra

en la caseta

de cobro.

**ELBA LLORA,
ELVIRA LA MIRA
Y LLAMA A EDELMIRA.
¡VÁLGAME ELBA,
LLORAS A DESHORAS!**

Los caracoles de Cracovia comen coles crudas, las comen y las carcomen.

Son nueve las naves nuevas que nubla la niebla.

La víbora de Surinam
es víbora ovovivípara
que vive en Paramaribo.

AFLIGE
QUE EL FLUJO
DEL OLEAJE
AFLOJE
EL FLEJE
DEL BLINDAJE.

LA LOCA FLACA APLICA FLOJA LA LACA ROJA.

Un patán patón pateó a un peatón.

La jaca de Rafa desgaja la caja de paja.

NI AL AGUA LE ECHE LECHE NI LE ECHE AGUA A LA LECHE.

Le flota floja la falda a Pancha, le está ancha y le falta plancha.

El güero Agüero guarda un güiro antiguo en un agujero.

El asno manso masca paja mojada.

JUNTO JACINTOS NARANJA JUNTO A LA ZANJA.

CUCA SERRATOS

El trastero de Trini tiene trescientos trastos,
si testereas el trastero de Trini,
los trescientos trastos trastabillan.

El muchacho chicho come chico trozo de chicharrón de chancho,
chico trozo de chicharrón de chancho come el muchacho chicho.

CATALINA Y CAMERINA TIENEN UNA CATARINA ROJINEGRA NEGRIRROJA, UNA CATARINA ROJINEGRA NEGRIRROJA TIENEN CAMERINA Y CATALINA.

**En la tlapalería
de Tlalnepantla venden
triquitraques,
triquitraques venden en la
tlapalería
de Tlalnepantla.**

EN LOS TRENES DE TRIANA, ATRÁS, VAN LOS CATRES DE CAPRI.

LOS FLAMÍGEROS FLAMENCOS SE CAMUFLAN EN UN CIELO DE RELÁMPAGOS.

LA MARIPOSA SE POSA EN EL POZO DEL MARIPOSARIO, EN EL POZO DEL MARIPOSARIO SE POSA LA MARIPOSA.

EL HUÉHUETL DE CITLALI ES UN HUÉHUETL DE HUECO AHUEHUETE.

Hay en Tlaxcala raros guijarros
de jarros de Tlaquepaque.

No place la típica plática plana.

Le falta a Mafalda su falda tableada.

Cebra rayada y cabra bronceada,
cabra bronceada
y cebra rayada.

Lucen las cebras mallas rayadas,

lucen las cobras brillos terribles.

Chayote y chinchayote come Chayo Rocha.

Come el gusano sanas guasanas, sanas guasanas come el gusano.

Mireya Llano Yáñez
llanta una llama
en la llanura del más allá.

* Llanta significa come. Llantar es comer en español antiguo.

El toro brama en la bruma blanca.

Las blancas y flacas patas se le traban al bronco potro.

Muchos dichos dice el dicharachero huarachudo Chucho Chávez.

En carreras de carcachas, los intranquilos contrincantes
arrancan carricoches a trastabillones.

VALENTÍN RINCÓN

El perro brinca la tranca,
trepa la rampa y con la trompa,
rompe la trampa.

Al saltar la malla
la llama se talla
y al brincar
la tabla, la cabra
se traba.

Yendo a La Habana en caravana, el tarambana repartió rábanos y bananas en rebanadas.

LA GRUTA DEL TIGRE QUE TRAGA CARNE, LA CARNE DE CEBRA QUE TRAGA EL TIGRE.

Plácida Poca-Plata poco platica en plaza pública.

CONSEJO:

**Nunca trepes a catre
junto a cráter,
nunca junto
a cráter
trepes a catre.**

El triste trapecista Tito Castro,
tras tramoya,
trama contra otro trapecista
para que trastabille
y dé al traste con sus tripas.

MUGRE DE BRUJA,
BRUJA MUGROSA.
¡MUGREBRUJA
BRUJIMUGROSA!

EL NEVERO VENERA A VENUS, A VENUS VENERA EL NEVERO.

PEDRO PRADO,
PRADO PEDRO,
PEDRO PRADO,
PRADO PEDRO,
ETC.

PETRA PRIDA APEDREA A PEDRO PRADO,
A PEDRO PRADO APEDREA PETRA PRIDA.

PANCHA APAPACHA AL POCHO EN EL CHOPO.

Dice la dama: la trama de ese drama me trauma.

AL AGUA EL ORNITORRINCO PEGA GRAN BRINCO.

MI TÍO SUPERCALIFRAGILÍSTICO ESPIRALIDOSO
FUE AL SUPERMERCADO A COMPRAR UN TROZO DE GUISO SABROSO,
Y MI TÍO SUPERCALIFRAGILÍSTICO ESPIRALIDOSO SÓLO HIZO EL OSO.

Cromo de cobre,
gramo de bagre,
grumo de mugre,
grasa de sangre.

Trota el potro,
el potro trota,
trota el potro,
el potro trota,

etcétera.

Don Fiacro: déme cuatrocientos gramos de carne magra.

Me mandó Pablo
un cable en clave
y tuve que descifrar
la clave
del cable de Pablo.

Teófilo Filemón: afila el cuchillo y dame un filete de salmón.

EN EL POPO, DON HIPOPÓTAMO TOMA TOMATE CON POPOTE.

AL BRONCEADO NADADOR QUE BRACEA LE SOBRA BRAZO.

PLATÓN
TOCA
EL TIPLE,
EL TIPLE
TOCA PLATÓN.

CHAMACO Y CHAMACA FUERON A AMECAMECA Y DURMIERON:
CHAMACO EN HAMACA Y CHAMACA EN CAMA CHUECA.

LA VIEJA MELA LAME MIEL DE ABEJA.

Braulio Bravo Batres cae de bruces,
de bruces cae Braulio Bravo Batres.

FILOMENO EL CINÉFILO INVITÓ AL CINE A TEÓFILO.

A Carmela le gustan
las mermeladas de fresa,
de frambuesa y de mora,
pero más las de cereza
y las de zarzamora.

Maribel Batel dice a Isabel Mariel: "Cómete tu betabel, Isabel".

SIXTO CALIXTO BURGOS SE ALISTA Y ASISTE A LA JUSTA DE LUXEMBURGO.

Están de guardia Gastón Estrada,
el gastroenterólogo
y otro doctor:
Otto Rincón
el otorrinolaringólogo.

Tito el Tritón es campeón de triatlón.

-Yo digo que el ombligo
de tu amigo Rigo huele a higo.
-¿Y cómo sabes que el ombligo
de mi amigo Rigo huele a higo?
-Porque olí el ombligo de tu amigo Rigo,
y yo digo que el ombligo
de tu amigo Rigo huele a higo.

Justa Trejo, esposa de Tito Trujillo, teje un traje para su hijito Julio Trujillo Trejo.

CHOLE JALA UN COCHE CARGADO DE JARRAS Y JARROS, CHOLE CHOCA EL COCHE QUE JALA Y JARRAS Y JARROS SE HACEN GUIJARROS.

El tío Tito trajo trigo de la troje, de la troje trajo trigo el tío Tito.

ME INTERESA LA TERSA TRENZA DE TERESA.

EL SABIO VACÍA SAVIA EN EL VASO VACÍO, EN EL VASO VACÍO VACÍA SAVIA EL SABIO.

EN EL RANCHO DE JUANCHO HAY UN
CHANCHO ANCHO Y CHONCHO.
¡QUÉ ANCHO Y CHONCHO EL CHANCHO
DEL RANCHO DE JUANCHO!

FUI A MANAGUA, NICARAGUA POR AGUA DE GUANÁBANA
Y MI ENAGUA SE MOJÓ CON AGUA DE GUANÁBANA
DE MANAGUA NICARAGUA.

KARINA TOCA LA TUMBADORA Y DORA LA OCARINA.

LA GATA PINTA

LA GATA PINTA, REPINTA, REQUETEPINTA Y TATARAPINTA
TUVO GATITOS, RETITOS, REQUETETITOS Y TATARATITOS.
UNOS ERAN BLANCOS, REBLANCOS, REQUETEBLANCOS Y TATARABLANCOS,
OTROS ERAN NEGROS, RENEGROS, REQUETENEGROS Y TATARANEGROS Y
OTROS ERAN PINTOS, REPINTOS, REQUETEPINTOS Y TATARAPINTOS.

SALIÓ LA CONEJA

SALIÓ LA CONEJA, DEJA, CHEJA, PEJA,
CON CUARENTA HIJITOS, DITOS, CHITOS, PITOS,
CON GRANDES OREJAS, DEJAS, CHEJAS, PEJAS,
Y MUY PELUDITOS, DITOS, CHITOS, PITOS.
TODOS MUY DIENTONES, DONES, CHONES, PONES,
CON SUS BIGOTAZOS, DAZOS, CHAZOS, PAZOS,
TODOS CORRELONES, DONES, CHONES, PONES,
CÓMO DABAN SALTOS, DALTOS, CHALTOS, PALTOS.
Y TENÍAN SU COLA, DOLA, CHOLA, POLA,
CUAL BOLA DE ESTAMBRE, DAMBRE, CHAMBRE, PAMBRE,
QUERÍAN ZANAHORIAS, DORIAS, CHORIAS, PORIAS,
PUES TENÍAN MUCHA HAMBRE, DAMBRE, CHAMBRE, PAMBRE.

TECLA OSCURA Y TECLA CLARA,
DEL PIANO LAS LARGAS TECLAS,
DEL PIANO LAS TECLAS LARGAS,
TECLA CLARA Y TECLA NEGRA.

POEMAS

Los poemas que escogimos para este trabalengüero tienen palabras juguetonas y sonoras. Por eso son como trabalenguas.

TRABALENGUAS

Con el doctor don Trabalenguas
vino la cebra bien rayada,
un elefante arrugadito
y una jirafa cuellilarga.

Al elefante arrugadito
¿quién lo podrá desarrugar?,
si este doctor lo desarruga
buen desarrugador será.

Doña Jirafa cuellilarga
¿quién la descuellilargará?
doctor que la descuellilargue
descuellilargador será.

Cebra rallada negriblanca
¿quién la desnegriblanqueará?,
que el que la desnegriblanqueare
desnegriblanqueador será.

Pobre doctor don Trabalenguas
¿quién lo destrabalenguará?
traba la lengua que se traba,
lengua la traba tra la lá.

Gilda Rincón

LA MATRACA TRACA

Los días de feria
la matraca traca
por todas las calles
grita su alharaca.

Loca chachalaca
cacaraqueadora,
dispara su risa
de ametralladora,

se suelta tronando,
de risa se ataca,
se desempaqueta,
se desempetaca,

que se desternilla,
de risa se mata,
que se descuaderna,
que se desbarata.

Parladora boca,
pelada carraca,
que el ruido mastica
y el eco machaca,

su seco palique
con nada se aplaca,
cotorra de porra,
curruca y urraca,

rehilete loco,
dentada maraca,
entre triquitraques
la matraca traca.

Gilda Rincón

PIRAGUAMONTE, PIRAGUA...
(Fragmento)

Piraguamonte, piragua,
piragua, jevizarizagua.

Bío, Bío,
mi tambo lo tengo en el río.

Yo me era niña pequeña,
y enviáronme un domingo
a mariscar por la playa
del río del Bío Bío;
cestillo al brazo llevaba
de plata y oro tejido.

Bío, Bío,
que mi tambo le tengo en el río.

Piraguamonte, piragua,
piragua, jevizarizagua.

Bío, Bío,
que mi tambo le tengo en el río.

Lope de Vega

FANFARINFAS

Fanfarinfas es un bufo
fanfarrón y fufurufo;
se enfurruña, se le engrifa
su melena de aljofifa,
pero si se pone eufórico
y se siente filarmónico,
en el pífano farfulla
hasta que se queda afónico.

Gilda Rincón

SENSEMAYÁ (Fragmento)

¡Mayombe-bombe-mayombé!
Sensemayá, la culebra...
¡Mayombe-bombe-mayombé!
Sensemayá, no se mueve.
¡Mayombe-bombe-mayombé!
Sensemayá, la culebra...
¡Mayombe-bombe-mayombé!
¡Sensemayá, se murió!

Nicolás Guillén

COLIBRÍ

Ave parva
que en la tarde
se retarda
mientras arde
aún la luz,

en el brezo
y en la fresa
y en la brisa
que se irisa
de su azul.

Pues la luz
en él se goza,
que lo besa
si lo roza,
picaflor,

vive libre,
liba y vibra,
brilla verde,
lila y vivo
tornasol.

Ave leve,
si se eleva,
mieles lleva
de las mieles
de que abreva;

si se posa,
de la rosa
que se mece
de su peso,
desparece.

Si pesara,
gema hermosa;
si aromara,
pomarrosa,
colibrí,

ave breve,
gema alada,
nave leve,
pincelada
de turquí.

Gilda Rincón

143

TRABALENGÜERO

SE TERMINÓ DE IMPRIMIR

en el mes de diciembre de 2005 en

Everbest Printing Co. LTD

EL TIRAJE FUE DE 3000 EJEMPLARES.